Santa Helena

Santa Helena

Volumen 1

Ilustraciones y guion:

Pablo Cabrera Martínez

mr.momo
juvenil

Santa Helena
Volumen 1

Primera edición: diciembre 2017

ISBN: 9788417105167
ISBN e-book: 9781524309701

© del texto y las ilustraciones:
   Pablo Cabrera Martínez

© de esta edición:
   2017, **mr.momo**

© maquetación y diseño:
   Lantia Publishing S.L.
   Plaza de la Magdalena, 9, 3º
   (41001 - Sevilla)

Impreso en España – Printed in Spain

CAPÍTULO 1

EL COLLAR
DE LA DUQUESA

CAPITÁN, ESTA CHICA NAVEGABA A BORDO DE ESE BARCO

¿ÓRDENES, SEÑOR?

NOS QUEDAMOS CON LA CHICA

MATAD AL RESTO

TOC
TOC

MMM... SUPONGO QUE USTED ES EL QUE ESTÁ CITADO CON MI JEFE

POR NORMAS DE LA CASA NO PUEDES ACOMPAÑARME AL INTERIOR. ESPERA AQUÍ, EVITEMOS PROBLEMAS. NO TARDAREMOS MUCHO

DE ACUERDO, SEÑOR

EN LA HABITACIÓN DEL FONDO SE ENCUENTRA SU DESPACHO, LE ESTÁ ESPERANDO, PERO... ME TEMO QUE SU COMPAÑERO DEBERÁ ESPERAR EN LA ENTRADA

NO HAY PROBLEMA

OZ..., NO NOS HAGAS ESPERAR

MIENTRAS TANTO...

17

EM... ¿NO DAS LA VOZ DE ALARMA?

PEQUEÑÍN, ¿QUÉ CREES QUE ESTÁS HACIENDO?

OH, MIERDA

¡LA PALIZA PRIMERO!

VAYA, QUÉ AMABLE

¡JA, FALLÉ!

FUM

¡UFF! ¡POR SUERTE ERES UN GORILA CON POCOS REFLEJOS!

HAREMOS UN BUEN NEGOCIO, TENIENDO EN CUENTA QUE USTED NO ES DE POR AQUÍ, ¿CIERTO?

MI CABELLO PELIRROJO SIEMPRE ME DELATA. ESPERO QUE NO TENGA PROBLEMAS CON LA SANGRE BRITÁNICA

BOOM CRASH POOM

¡¿PERO QUÉ DIABLOS PASA EN LA HABITACIÓN DE AL LADO?!

¡AAAGG!

¡¡LO DE GORILA ERA BROMA!!

20

23

25

Y AQUÍ ESTAMOS..., CELEBRANDO OTRAS DE NUESTRAS VICTORIAS, COMO DE COSTUMBRE. SER UN GRUPO DE CAZARRECOMPENSAS QUE BUSCA LA MANERA DE SOBREVIVIR NOS ACARREA MUCHAS REVUELTAS. QUIZÁ SEA LA COMBINACIÓN DE ESTE FANTÁSTICO SIGLO LLENO DE AVANCES Y... TAMBIÉN NUESTRA PECULIAR FORMA DE TRABAJAR

CREO QUE SIEMPRE NOS HA MARCADO LA SOLEDAD Y, SINCERAMENTE, ME GUSTARÍA QUE ESO CAMBIARA ALGÚN DÍA

¡EH, OZ!

¿PENSANDO YA EN NUESTRO DESTINO VACACIONAL?

PIENSA EN UNA PLAYA PARADISÍACA, NOSOTROS SOLOS, RODEADOS DE MUJERES CON ESCASOS ROPAJES

BUAF... NO SÉ

PERO TÍO...

¿QUÉ TIENES TÚ EN CONTRA DE LAS MUJERES?

NO TENGO ABSOLUTAMENTE NADA EN CONTRA SUYA, SON ELLAS LAS QUE PARECEN ESTAR EN CONTRA MÍA

YA, CLARO... Y EL QUE SEAS UN QUEJICA BORDE TODO EL RATO NO TIENE NADA QUE VER, ¿NO?

¡¡SOLO BUSCO AL CAPITÁN OZ!!

¿EH?

¡VENGA! ¿POR QUÉ TANTA PRISA, GUAPA?

JE, JE. ¡VAMOS, SEAMOS AMIGOS!

28

¡¡SOLTADME!!
¡¡SOLTADME OS DIGO!!

¡EH, EHH! ¡YO SOY EL CAPITÁN OZ!

¿SE PUEDE SABER QUÉ ESTÁ OCURRIENDO AQUÍ?

ESTA SEÑORITA DICE SER TU ESPOSA Y QUE ANDA BUSCÁNDOTE

¡¿QUÉ?!

¡¡CLARO QUE NO SOY SU ESPOSA!!

¡SOLO ERA UNA EXCUSA BARATA PARA ACERCARME A ÉL Y PODER HABLARLE!

PARA UNA MOZA QUE ENCONTRAMOS, VA Y ESTÁ CASADA

¡¡QUE NO ES MI ESPOSA, ME CAGO EN TODO!!

¡TENGO QUE HABLAR CON USTED, ES URGENTE!

30

A VER... TENIENDO EN CUENTA QUE POR LA ÚLTIMA MISIÓN NOS HAN PAGADO LO SUFICIENTE COMO PARA NO TRABAJAR DURANTE VARIOS MESES... PUES CREO QUE...

AH... ¡QUÉ LECHES! BUSQUEMOS A TU DICHOSA HERMANA

¡¿EN... EN SERIO?! ¡¡MU... MUCHÍSIMAS GRACIAS, SEÑOR OZ!! ¡¡NO SABE USTED EL GRANDÍSIMO FAVOR QUE ME HACE!! ¡GRACIAS!

¡¿PUEDO IR CON VOSOTROS?! ¡¡ME GUSTARÍA VER A MI HERMANA EN CUANTO SEA RESCATADA!!

¡CLA... CLARO, NO HAY PROBLEMA!

ALA, OZ..., ERES IMBÉCIL, OTRA CAGADA, ¿POR QUÉ RAYOS NO HAS SIDO CAPAZ DE DECIR "NO"? LA POBRE ESTABA DESESPERADA...

MENUDO LÍO

CASA MENDOZA.

CAPÍTULO 2

BIENVENIDOS A BORDO

35

COMO ESTA. FÍJATE... ¡LOS CAÑONES MÁS EFECTIVOS DEL MUNDO! ZÉFIRO Y VERNON TRABAJARON CODO CON CODO

MÁS DESPACIO... ¿VERNON? ¿Y QUIÉN ES VERNON?

UN CIENTÍFICO QUE VIAJA A BORDO..., ¿POR QUÉ ME MIRAS ASÍ?

¡OYE! LA VIDA EN ALTA MAR TAMBIÉN ES DURA, LAS QUEJAS LUEGO. NO ESTOY ACOSTUMBRADO A HACER DE NIÑERA

LLEVO DÍAS VIVIENDO EN LA CALLE LLEVANDO A CUESTAS ESTA MALDITA MALETA. AHORA SOLO QUIERO UN ACOGEDOR CAMAROTE

¡ALA! ¡PERO MIRA QUE ERES EXAGERADO! PARA TU INFORMACIÓN..., ¡NO ME HACE FALTA NINGUNA NIÑERA!

MIRA, NIÑA, AQUÍ EL GUÍA SOY YO

¡YA, YA! EMM... OLVIDABA QUE TAMBIÉN ERES EL CAPITÁN... SIN HISTERISMOS, ¿VALE?

37

39

MMM... CREO QUE TE LA HAS CARGADO

SÍ, COMO AQUELLA VEZ, CUANDO METIMOS UN COCODRILO BAJO LA CAMA DE WILLIAM

CULPA TUYA, NO ME DIJISTE QUE ERA TAN SENSIBLE. VAYA... A ELLA NO LE PODREMOS HACER NUESTRAS TÍPICAS Y LETALES BROMITAS

BUFF, QUÉ BUENO FUE ESO, GRITABA COMO UNA MUJER

VAYA. ¡POR FIN TE HAS DESPERTADO, PUÑETAS! YA ERA HORA. ¿TE PARECE BIEN QUE RETOMEMOS LA VISITA?

¡PUFFF! ¡¡AVISADME CUANDO VAYÁIS A HACER ALGO ASÍ!!

¡¿Y DÓNDE ESTARÍA LA GRACIA, GUAPA?!

40

41

42

NO HE PODIDO EVITAR DARME CUENTA DE QUE NO TE IMPONES MUCHO SIENDO EL CAPITÁN

BUENO, SE VUELVEN MUY LEALES EN SITUACIONES DE ALERTA. OYE, NO TE VAYAS A PREOCUPAR POR LOS GEMELOS.

HAN TENIDO UN PASADO CRUDO. LES ECHARON DE LA UNIVERSIDAD DE HARVARD POR HACER ESTALLAR PARTE DEL EDIFICIO. PERO, CRÉEME, AQUÍ SON INOFENSIVOS

¡¿ESTALLAR?! DIOS... ¿DÓNDE ME HE METIDO?

¡CALMA, CHICA! LA PALABRA "ESTALLAR" LA VAS A OÍR MUCHAS VECES ESTANDO AQUÍ

CAPITÁN OZ..., ¡ESE ES UN BUEN MOTIVO PARA PREOCUPARME!

DEJA DE LLAMARME ASÍ, ME BASTA CON QUE ME LLAMES ALTEZA... JÁ, TRANQUILA, ES BROMA...

VAYA... PUES SÍ QUE ERES TÍMIDA

ES QUE ESTOY UN POCO... NERVIOSA, ESO ES TODO

NORMAL. EN FIN... TE MOSTRARÉ LA ÚLTIMA "SORPRESITA"

¿Y... POR QUÉ DICES QUE VIVIRÉ MOMENTOS INCÓMODOS EN LA COCINA?

¿CÓMO EXPLICARLO?

CUBO DE POTA

PROPIEDAD DE MARK

¡EH! ¿YA ME HABÉIS PIZAO EL ZUELO FREGAO?

JE, JE. NO TE ASUSTES, ESTE SEÑOR EN MINIATURA ES NUESTRO COCINERO

¡AJAM! VALE.. AHORA ENTIENDO LO DE "SORPRESITA"

¡ENCANTAO! YO ZOY MANUÉ... PERO AQUÍ TODOS ME LLAMAN MANOLO. ME PUEDE LLAMÁ MANOLITO, MANOLÍN... COMO UZTÉ QUIERA. ZEÑORITA. ¡NO ZE ARREPENTIRÁ DE PROBÁ MIS PLATOS!

48

DISCULPE MIS DESMESURADAS MEDIDAS DE SEGURIDAD, SEÑOR BRAUN

LA ÚLTIMA PERSONA EN LA CONFIÉ ME APUNTÓ CON UN REVÓLVER EN MI PROPIO DESPACHO

MENDOZA, EL DINERO QUE LE OFREZCO ES SOLO UNA SEÑAL. EL PRECIO JUSTO POR ENCONTRAR A MIS FUGADIZAS HIJASTRAS

DOS CAMINOS QUE CONVERGEN EN UN SOLO PROPÓSITO... ACABAR CON OZ. YO BUSCO VENGANZA, Y USTED... ASEGURAR SU FUTURO

ASÍ ES, CORAL ES LA MÁS IMPORTANTE. EL COMPROMISO QUE PACTÉ LA INVOLUCRA, Y ROMPERLO PONDRÍA EN PELIGRO MI VIDA. SU LINAJE ES ESPECIAL

LLEVO SIGUIENDO LA PISTA DE ESA TRIPULACIÓN DESDE HACE SEMANAS

HE MOVIDO MUCHOS HILOS. INCLUSO MANDÉ ESPÍAS PARA ACABAR CON ESOS MALNACIDOS

HAN SIDO ERRORES. SUPONGO QUE SI QUIERES QUE ALGO SE HAGA BIEN, DEBES HACERLO TÚ MISMO

TENEMOS TRATO, SEÑOR BRAUN

LA CABEZA DE ESE VULGAR CAPITÁN TIENE UNA PLAZA RESERVADA EN MI COLECCIÓN

CAPÍTULO 3

JOLLY ROGER

54

58

59

63

65

66

67

68

73

75

76

CAPÍTULO 4

LA ISLA PERDIDA

PFFF...
PE, PERO...
¿DÓN....
DÓNDE....
ESTOY?

AUFF...
TODO...
ME DA
VUELTAS

¿QUÉ... QUÉ PUÑETAS HA PASADO?

83

86

89

92

93

94

95

CAPÍTULO 5

EVASIÓN

BAJA ESOS HUMOS Y CÁLMATE. LAS COSAS NO SIEMPRE SALEN COMO UNO QUIERE, ¿SABES?

LLEVAN ASÍ TODA LA MAÑANA

....

A VER, GENIO, ¿SE TE OCURRE ALGÚN MAGNÍFICO PLAN PARA ESCAPAR DE AQUÍ?

NAO..., ¿CREES QUE ÉL ME ESTARÁ BUSCANDO?

ESPERA... ¡¿ESTÁS PROMETIDA?!

PUES... ES ALGO COMPLICADO

SI TE REFIERES AL IMBÉCIL DE TU PRO-METIDO...., SEGURO QUE SÍ, PERO NO PORQUE ESTÉ PREOCUPADO POR TI

PERO...

NO QUIERO VOLVER A CASA. DESDE QUE SE FUE MAMÁ NADA NOS HA FUNCIONADO A LAS DOS

¡BOOM!

¡CRASH!

100

105

107

109

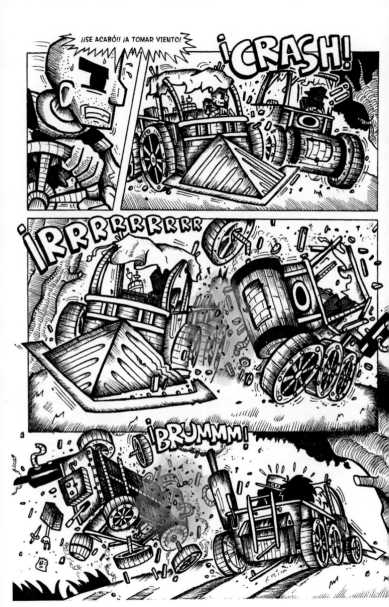

114

115

119

PERO... SI ES... ¡ES YAKISOBA! ¿CÓMO DIABLOS HAS SABIDO QUE ES MI COMIDA FAVORITA?

¡TORPE! PIENSA UN POCO

BUF... SIENTO INCOMODARTE AL SER TAN TORPE, ¡CAPITÁN!

ES TU HERMANA LA QUE ME LO HA CHIVADO, ¿CÓMO SI NO IBA A SABERLO?

EN BREVE LLEGAREMOS A PUERTO, PERO ANTES... ME GUSTARÍA QUE ME CONTARAS ALGO IMPORTANTE...

PUES ES DIFÍCIL DE CONTAR. EN PARTE, ESTA LOCURA DE VIAJE LA COMENCÉ PARA ALEJARME DE CASA... NADA NOS FUNCIONA BIEN A NAO Y A MÍ DESDE QUE...

DESDE QUE MURIÓ NUESTRA MADRE, HACE MESES

¿POR QUÉ NO QUERÉIS VOLVER A CASA? YO SOLO INTENTO AYUDAROS

NUESTRA QUERIDA MADRE ERA LO ÚNICO QUE NOS QUEDABA. Y AHORA ESTAMOS SUJETAS A NUESTRO PADRASTRO, UN HOMBRE AVARICIOSO, CON SED DE PODER.

TANTO ES ASÍ QUE SE CONCERTÓ UN MATRIMONIO ENTRE UN CRETINO LLAMADO ALEXANDER Y YO. EL MILLONARIO CONDE ALEXANDER. PFF... ES DESPRECIABLE

...ENTIENDO, SÉ LO QUE ESTÁS PASANDO

NUESTRO PADRASTRO SOLO BUSCA OBTENER GANANCIAS CON ESTE ENLACE... O ESO CREEMOS

121

ENTRÓ EN MI VIDA POCO DESPUÉS DE CONOCER A FERNANDO Y A WILLIAM. ÉRAMOS JÓVENES CUANDO DECIDIMOS CONVERTIRNOS EN CAZARRECOMPENSAS. NUESTRO CAPITÁN DE POR AQUEL ENTONCES ERA EL SEÑOR ARROW... ALGUIEN CAMPECHANO, ALEGRE

¿ARROW? VAYA, PUES CREO HABER OÍDO HABLAR DE ÉL, UN TIPO MUY PECULIAR

...CUENTAN MUCHAS HISTORIAS SUYAS

ES BUENA PERSONA, HACE AÑOS QUE NO SÉ NADA DE ÉL, AL IGUAL QUE MI HERMANO, OTRO PERSONAJILLO AÚN MÁS PECULIAR

MARCHÁBAMOS DE MISIÓN EN MISIÓN... Y UN DÍA CONTACTÓ CON NOSOTROS UNA JOVEN. JAMÁS HABÍA VISTO ALGO TAN HERMOSO. NOS CONTRATÓ PARA QUE ENCONTRÁRAMOS A SU MADRE DESAPARECIDA Y, BUENO...

...ELLA Y YO ACABAMOS CONGENIANDO MARAVILLOSAMENTE, HASTA SE ACABÓ CONVIRTIENDO EN MI PAREJA DURANTE DOS AÑOS, Y DESPUÉS... EN MI ESPOSA. PERO... LLEGÓ LA GRAN TRAGEDIA

INESPERADAMENTE CALLÓ ENFERMA BAJO UN EXTRAÑO TRASTORNO POCO COMÚN. ESTUVIMOS BUSCANDO LA CURA DURANTE SEMANAS, SIN SUERTE. FINALMENTE ACABÓ MURIENDO EN MIS BRAZOS

YO, NO... NO SÉ QUÉ DECIR...

LA ISLA SANTA HELENA, EL LUGAR DONDE NACIÓ KAREN, ME INSPIRÓ PARA RENOMBRAR AL NUEVO BARCO DEL QUE ME NOMBRARON CAPITÁN POCO TIEMPO DESPUÉS

Y... SUPONGO QUE DESDE ENTONCES... ESTE BARCO SIGNIFICARÁ MUCHO PARA TI... ¿NO ES ASÍ, OZ?

123

124

ZÉFIRO

VERNON, "Pistola Red"

CAPÍTULO 6

SIN RUMBO HACIA EL HORIZONTE

130

132

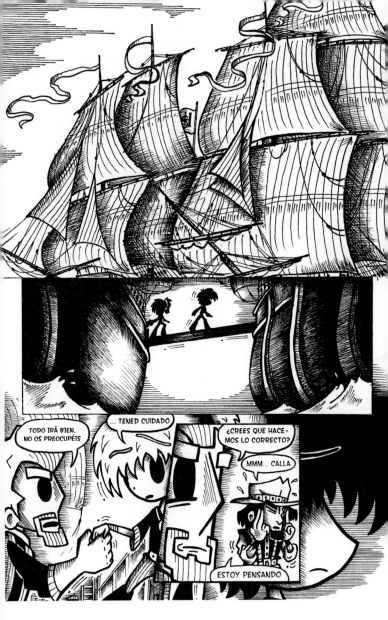

134

135

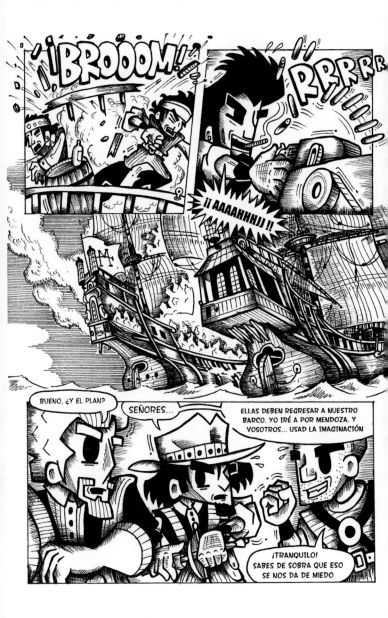

¡¡BROOOM!!

RRRRR

¡¡AAAAHHH!!

BUENO, ¿Y EL PLAN?

SEÑORES...

ELLAS DEBEN REGRESAR A NUESTRO BARCO. YO IRÉ A POR MENDOZA. Y VOSOTROS... USAD LA IMAGINACIÓN

¡TRANQUILO! SABES DE SOBRA QUE ESO SE NOS DA DE MIEDO

¡PERMANECED AQUÍ, ESOS PIRATAS VIENEN A POR VOSOTRAS!

¡¡TE DIGO QUE ESOS HOMBRES NO SON PIRATAS!! ¡SI VIENEN ES PARA SALVARNOS, ESTÚPIDO!

¡¿TE ATREVES A HABLARME ASÍ?!

¡¡GRR... LA SITUACIÓN ESTÁ EMPEZANDO A TORCERSE!!

TIC
TIC
TIC

¡¡¿QUIÉN OSA MOLESTARME AHORA?!!

POOM

¡¡AQUÍ ME TIENES, MENDOZA!!

¡SOLUCIONEMOS ESTE ASUNTO DE UNA PUÑETERA VEZ!

140

141

143

144

145

149

150

153

155

157

160

NO TE VAS A LIBRAR DE LOS PREPARATIVOS DE LA BODA... Y ESTA VEZ NO PIENSO QUITAROS LA VISTA DE ENCIMA

NO VOLVERÉIS A VER ESE BARCO... NI A SU RIDÍCULA TRIPULACIÓN

ESO... ESTÁ POR VER

Y COMO DE COSTUMBRE...